EL RETORNO DEL ESQUELETO

Título original: *Ossa bianche e strafita blu*
Publicado por acuerdo con Edizioni Piemme, S.p.A.
Adaptación de la cubierta: Random House Mondadori / Judith Sendra

Primera edición: junio de 2011
Cuarta edición: octubre de 2012

© 2011, Edizioni Piemme S.p.A.
  Via Tiziano, 32. 20145 Milán, Italia.
© 2011, de la presente edición en castellano para todo el mundo:
  Random House Mondadori, S. A.
  Travessera de Gràcia, 47-49. 08021 Barcelona
© 2011, Ana Andrés Lleó, por la traducción
Texto de Roberto Pavanello
Proyecto editorial de Marcella Drago y Chiara Fiengo
Proyecto gráfico de Laura Zuccotti y Gioia Giunchi
Diseño de la cubierta y de las ilustraciones de Blasco Pisapia y Pamela Brughera
www.batpat.it   *www.battelloavapore.it*
International Rights © Atlantyca, S.p.A., Via Leopardi 8, 20123 Milán, Italia
foreignrights@atlantyca.it   *www.atlantyca.com*

Printed in Spain – Impreso en España

ISBN: 978-84-8441-748-4
Depósito legal: B-16.282-2.012

Compuesto en Compaginem

Impreso en Gráficas 94
Pol. Ind. Can Casablancas
C/Garrotxa, nave 5
08192 Sant Quirze del Vallès

Ecuadernado en Garos Encuadernación, S.L.

GT 1 7 4 8 4

BAT PAT

EL RETORNO DEL ESQUELETO

TEXTO DE ROBERTO PAVANELLO

montena

¡¡¡Hola!!!
¡Soy Bat Pat!

¿Sabéis a qué me dedico?
Soy escritor. Mi especialidad son
los libros escalofriantes: los que hablan
de brujas, fantasmas, cementerios...
¿Os vais a perder mis aventuras?

Os presento a mis amigos...

Rebecca

Edad: 8 años
Particularidades: Adora las arañas y las serpientes. Es muy intuitiva.
Punto débil: Cuando está nerviosa, mejor pasar de ella.
Frase preferida: «¡Andando!».

Leo

Edad: 9 años
Particularidades: Nunca tiene la boca cerrada.
Punto débil: ¡Es un miedica!
Frase preferida: «¿Qué tal si merendamos?».

Martin

Edad: 10 años
Particularidades: Es diplomático e intelectual.
Punto débil: Ninguno (según él).
Frase preferida: «Un momento, estoy reflexionando...».

¡Hola, amigos voladores!

¿Sabéis quién es el mejor amigo del murciélago? Pues está claro: ¡otro murciélago! No todos tienen la suerte de contar con tres amigos «humanos» tan especiales como los Silver. En cambio, todo el mundo sabe quién es el mejor amigo del hombre: el perro. Yo lo comprobé gracias a mis orejitas, que no soportan los silbidos demasiado agudos.

¿Qué tiene que ver eso? ¡Pues un montón! Y también el hecho de que, por primera vez en la historia, un *pipistrellus sapiens* como yo metiera las naricitas en el trabajo de los arqueólogos. Y, ¿sabéis qué me pasó? ¿No? ¡Pues dejémonos de charlas! Seguidme, os lo contaré todo...

1

¡QUÉ CALOR!

quel verano hacía un calor horrible en Fogville.

A los murciélagos les gusta el verano, pero a mí no. ¡Odio el sol directo, el aire caliente y que las alitas sudadas se me peguen una a otra!

El calor afectaba de formas muy diferentes a los hermanos Silver.

Aquella mañana, por ejemplo, Leo se había levantado con ganas de cocinar.

—No entiendo por qué no me sale bien la masa

de las tortitas... —gruñó mientras consultaba la receta con las manos embadurnadas de huevo—. ¡He seguido la receta al pie de la letra!

—A lo mejor deberías leer cosas más... interesantes —sugirió Martin, que buscaba un poco de aire fresco entre las páginas de *Mortimer el destornillador y la banda de sepultureros*, la última obra maestra de terror de Edgar Alan Papilla, su escritor favorito.

—¡Cosas más interesantes! ¡Por favor! —le pinchó Rebecca—. ¿Por qué nos venís conmigo a dar un paseo en bici?

Rebecca era la única a quien treinta y cinco grados a la sombra animaban a moverse.

—Leo, cariño —dijo la señora Silver mirando preocupada el horrible potingue de su hijo—, el azúcar se te pegará a la cazuela si no lo mez... —No pudo acabar la frase porque una nube de humo negro invadió la cocina y tuvimos que salir todos corriendo.

El señor Silver aprovechó para estirar las piernas

y coger el correo del buzón. Al volver traía el periódico y un sobre de pergamino amarillento.

—¿De quién es esa carta? —preguntó Rebecca con curiosidad.

—De la doctora Gergovia Pinter —contestó su padre leyendo el remitente—. ¡Pero si es vuestra tía!

—¿La que excava como un topo? —bromeó Leo.

—¡Excava porque es arqueóloga! —le cortó Martin levantando por fin la vista del libro.

—¡Sus vacaciones sí que son interesantes! —añadió la señora Silver mientras preparaba más masa para tortitas—. ¡Siempre está viajando a la caza de tesoros! A saber desde qué rincón del mundo nos escribe esta vez...

El señor Silver examinó el matasellos.

—En realidad, la carta viene de Ditchville, su pueblo.

Después, abrió el sobre y empezó a leer:

Queridos George y Elizabeth:

¿Cómo os va? A mí, bien. Es decir, ¡más que bien! Acabamos de empezar unas interesantísimas excavaciones en Ditchville que están dejando al descubierto un pueblo del neolítico. ¡A dos pasos de mi casa! Y de repente he recordado que hace unos años prometí a los chicos que pasaríamos juntos un verano. ¡Me parece la ocasión perfecta! Pueden quedarse en mi casa. Les enseñaré un auténtico campamento arqueológico, ¡y estoy segura de que descu-

*briremos cosas muy interesantes! ¿Qué os parece?
Hace mucho tiempo que no los veo…*

*Los espero con los brazos abiertos. Ya me diréis
algo.*

Vuestra tía,

GERGOVIA

—¿Sabe cocinar? —preguntó Leo inclinándose sobre las humeantes tortitas que estaba re-
partiendo la señora Silver.

—¿Es que sólo piensas en comer?
—le reprochó Rebecca—. ¡Estamos
hablando de ciencia! ¡De cultura!

—Ya veo, nos moriremos de
hambre… —replicó Leo zam-
pándose una tortita.

—¿Podemos ir? —preguntó
Martin.

—¿Por qué no? —contestó el

señor Silver secándose el sudor de la frente—. Serán unas vacaciones instructivas. Y además, si no recuerdo mal, vive cerca del bosque: ¡allí no pasaréis tanto calor!

Rebecca se volvió hacia mí.

—¿Qué te parece, Bat? ¿Te apetecen unas vacaciones «arqueológicas»?

—¡Ya lo creo! —contesté muy seguro—. Con tal de ir a un sitio fresquito, ¡estaría dispuesto a explorar incluso una tumba!

No podéis imaginar cuánto me había acercado a la verdad.

2
TÍA GERGOVIA
AL VOLANTE

l tren salía a las cuatro en punto, y la siestecita... quiero decir... el viaje (¡siempre me duermo en los trenes!) hasta la minúscula estación de Ditchville duró un par de horas. El andén estaba desierto. Salimos afuera.

—Qué raro es esto. Tía Gergovia debería estar aquí... —refunfuñó Martin.

Leo se sentó sobre su mochila.

—Pues empezamos bien...

Cuando estaba a punto de quedarme dormido otra

vez en la mochila de Rebecca, oí un repentino es-
truendo.

Una camioneta, que en el pasado debía de ser
blanca pero que ahora estaba cubierta de barro como
un viejo elefante, venía a todo correr hacia nosotros
desde el fondo de la calle.

—¡Eh, que se nos echa encima! —se alarmó Leo.

Así es, en vez de reducir la velocidad, el conductor empezó a tocar la bocina. En el último momento dio un frenazo ¡y la camioneta se detuvo a un metro de nosotros, envuelta en una nube de polvo! La puerta se abrió y salió una vivaz señora mayor con gafas de sol, un sombrero de paja, unas bermudas y unas botas.

—¡Mis adorados sobrinos! —chilló feliz y abriendo los brazos de par en par—. ¡Cuánto tiempo sin veros!

—¿Esta es tía Gergovia? —pregunté incrédulo a Rebecca.

—¡En persona! —asintió ella—. Una mujer peculiar, ¿eh?

Después hubo un montón de besos y abrazos, y entonces tía Gergovia me vio.

—Cuidado, Rebecca —dijo cogiéndome delicadamente entre las manos y dejando que alzara el vuelo—. ¡Se te ha pegado un murciélago a la mochila!

Estuve a punto de decir «Hola, ¿cómo te va?» pero, por suerte, mi amiga se adelantó.

—¡No, tía, es amigo nuestro! ¡Te presento a Bat Pat!

—¡Hola, chiquitín! —me saludó la mujer—. ¡Ya verás qué buenos están los mosquitos de mi jardín!

Ese fue el único pensamiento que, durante el trayecto, hizo soportable la «deportiva» forma de conducir de tía Gergovia. Su casa, en cambio, era una verdadera delicia: ¡un chalet de madera perdido en el bosque más espeso! ¡Auténticamente fabuloso!

El interior no me pareció tan fabuloso: había libros amontonados por todas partes y las mesas estaban cubiertas de mapas, planos, fotografías de

hallazgos y pilas de papeles repletos de anotaciones. En el suelo, en los sofás y encima y debajo de los muebles había montones de vasijas, objetos de cerámica, fósiles y estatuillas de a saber dónde.

—¡Mofetas apestosas! —comentó Leo, incrédulo—. ¡Esto es casi peor que mi cuarto!

—¡Seguidme, os enseñaré vuestra habitación! —dijo tía Gergovia.

Subimos a la buhardilla y nos encontramos un precioso cuartito de madera con tres camas contiguas.

—Y para Bat Pat, una casita especial... —añadió mientras abría la ventana y me plantaba delante de una... ¡caja de madera!—. ¿Te gusta? Es una batcasa y... en estos momentos no está ocupada. ¡Adelante, es toda para ti!

Entré vacilante por la estrecha puertecita. No estaba mal. Había comida, agua e incluso una barrita para colgarse cabeza abajo. ¡Pero era fría y solitaria como un ataúd!

Me quedé allí dentro hasta que Rebecca vino a rescatarme.

—¡Sal, Batuchito, o acabarás muerto de pena!

No me hice de rogar: salí y me lancé a los brazos de mis amigos. Como solía decir mi primo Felipe: «¡Mejor un buen achuchón que mosquitos a mogollón!».

3

LA ARQUEO-CENA

or desgracia, tía Gergovia también era una auténtica arqueóloga en la cocina. Las tostadas que nos había preparado estaban duras como el barro cocido, las albóndigas parecían fósiles y la ensalada estaba tan pasada ¡que en ella vivían hasta caracoles!

—¡Esto es muy especial! —dijo tía Gergovia a Rebecca, que, con el tenedor en el aire, observaba una aceituna azul—. ¡Es de Grecia!

—De la «antigua» Grecia... —murmuró ella.

¡Pobres amigos míos! ¡Presentía días de gran sufrimiento!

Después de cenar, tía Gergovia nos ofreció una caja de chocolatinas olvidadas en el fondo de un cajón durante años y nos hizo una breve «introducción a la arqueología». Empezó extendiendo un gran plano sobre la mesa y mi formidable intuición me dijo que se trataba de un plano de las excavaciones de Ditchville.

—Como os dije por carta, es un yacimiento del período neolítico. Hemos marcado las zonas con colores diferentes, ¿veis? La zona roja, la zona verde... ahora estamos trabajando en un extremo de la amarilla: es la zona de las tumbas.

—¡Qué zona tan alegre! Y eso del *ñolítico* ¿qué es? —preguntó Leo inocentemente mientras sus hermanos ponían los ojos en blanco.

—El neolítico —le corrigió con paciencia su tía—

es el último período de la prehistoria, cuando el hombre empezó a dedicarse a la agricultura, a criar ganado y a cuidar los primeros animales domésticos.

—¿Qué tipo de animales? —preguntó Martin con curiosidad.

—Cabras, vacas e incluso caballos. También tenían perros, ¡en aquella época, el perro ya era el mejor amigo del hombre! Mirad esto... —Nos enseñó algo irregular, blanquecino y no más grande que la palma de su mano—. Es un hueso de animal. Lo encontramos hace unos días en una tumba de la zona amarilla. ¿Veis algo?

—¡Sí, que está todo rayado! —dijo Leo—. ¡Pues sí que trataban mal las cosas esos *ñolíticos*!

—Esas rayas representan flechas... —le corrigió tía Gergovia.

—Y esto de la derecha parece un hombre... —señaló Rebecca.

—Y a su lado hay... ¡un perro! —añadió Martin.

—¡Muy bien! ¿Qué os decía? Un hombre, flechas y un perro: es una escena de caza. Y lo que hay a la izquierda es la presa, quizá un ciervo.

—Interesante. ¿Mañana iremos al campamento? —preguntó Martin.

—¡Pues claro! ¡Esa es una de las razones por las que os he invitado!

—Supongo que no tendrás intención de hacernos trabajar... —dijo Leo, receloso.

—Claro que no, querido sobrino. No quiero fastidiaros las vacaciones. Cuando estéis hartos de picos y palas podéis ir a dar una vuelta por los alrededores: es una zona preciosa. Y ahora a dormir. ¡Quiero que mañana estéis al cien por cien!

Media hora después los hermanos Silver estaban ya en el mundo de los sueños y yo me disponía a salir a cenar. El jardín de tía Gergovia era una maravilla: estaba rebosante de gordos y sabrosos mosquitos con un suave sabor a arándano. Pero yo seguí volando y me adentré en el bosque. Estaba serpenteando alegremente en-

tre los árboles cuando de repente... ¡un silbido agudísimo me descontroló el radar! Es verdad que nosotros captamos los ultrasonidos, ¡pero aquello taladraba los oídos a base de bien!

Puse en marcha inmediatamente el famoso Vuelo Turbo, que mi primo Ala Suelta suele utilizar para impresionar a las chicas. Pero yo lo usé para poner a salvo mis delicadísimos pabellones auditivos y refugiarme en... ¿la bat-casa? Ni soñarlo: ¡en la camita de Rebecca!

4

¡A LA PORRA LOS SITIOS INCÓMODOS!

uesta decir qué fue más traumático al día siguiente: el despertar (tía Gergovia cargó la furgoneta justo bajo nuestra ventana), el desayuno (grumos de harina aceitosos y pringosos que nos aseguró que eran como tortitas con miel) o el viaje hasta la zona de excavación, ¡que con tantos baches, curvas y frenazos resultó incluso peor que el primero!

—¡Bienvenidos a la prehistoria! —exclamó tía Gergovia señalando el gran prado precintado que se extendía ante nosotros. Algunas secciones de la excavación estaban protegidas con pequeñas cubiertas de metal y, bajo una gran marquesina blanca, había robustas mesas de madera repletas de piedras y hallazgos. Al fondo se veía un barracón gris, alargado y bajo—. Ese es el depósito de los «tesoros» que arrancamos a la tierra —nos explicó—: huesos, fragmentos de vasijas, objetos de piedra...

—¿Podemos dar una vuelta y mirar? —preguntó Martin, impaciente.

—Mirad todo lo que queráis, pero no toquéis nada, por favor. Y, sobre todo, no entréis en la cueva que hay allá al fondo. ¡Es muy peligrosa! ¡Cuando volváis os daré una sorpresa!

—¿No vienes con nosotros? —preguntó Rebecca.

—Por desgracia, hoy no puedo acompañaros. Tengo que acabar una tarea urgente: separar los hallazgos zoológicos de los antropológicos.

—¿*Zooantro*... qué? —intentó repetir Leo.

—Tiene que agrupar las piezas relacionadas con los animales y las relacionadas con el hombre —le tradujo Martin—. ¿Ahora está más claro?

—¡Clarísimo! No había más que decirlo...

Nos fuimos deteniendo aquí y allí a curiosear. Martin y Rebecca acribillaban a preguntas a los expertos, que estaban encantados de contestarlas.

—¡Solo verlos me hace sudar! —comentó Leo mientras les observaba trabajar con picos y palas.

Llegamos al final de las excavaciones, donde se encontraba la cueva de la que tía Gergovia había hablado. La entrada estaba cerrada con dos tablones de madera cruzados en los que habían clavado un cartel.

¡PELIGRO!
PROHIBIDA LA ENTRADA A PERSONAS AJENAS A LAS EXCAVACIONES

—¡Tú podrías entrar, Bat! —dijo Rebecca—. Seguro que ahí dentro te sentirías como en casa...

—No sé... —contesté un poco confuso—. ¡Desde que vivo con vosotros ya no me gustan los sitios incómodos!

—¡Bien dicho, a la porra los sitios incómodos! —exclamó Leo, harto ya de andar—. ¿Volvemos? Tía Gergovia ha dicho que tenía una sorpresa...

La sorpresa, una excursión en bicicleta por los alrededores, no hizo dar saltos de alegría a Leo. En primer lugar porque tenía que pedalear y en segundo porque tía Gergovia presumió de que había preparado el picnic «con sus propias manos».

—También hay pastel de manzana casero —añadió muy contenta—. Se me ha quemado un poquito, ¡pero creo que os gustará!

Un cuarto de hora después estábamos en la colina, rodeados de huertos y prados verdes. Los Silver, sentados en los sillines de las bicicletas y yo repantigado en el cesto de la bici de Rebecca. Dirección: el manantial del río Sgoorgle, uno de los destinos turísticos más famosos de la zona.

«Podría decirse que es el sitio más tranquilo del mundo», había explicado tía Gergovia.

Ya vimos lo tranquilo que era.

5

UN PICNIC DE PERROS

eguro que es por aquí, Leo? —preguntó Martin mirando perplejo el río, que corría paralelo al sendero—. Es un poco raro que el manantial esté más bajo que el río...

—¡Y además hemos salido del este y ahora volvemos a ir en dirección este! —añadió Rebecca mirando el sol—. Leo, ¡¿qué has hecho?!

El brusco frenazo que siguió a continuación hizo que me estampara contra la rejilla de la cesta de la bicicleta.

Leo empezó a dar vueltas al mapa hasta que Martin se lo arrancó de las manos.

—¡Lo tenías al revés! —gritó en cuanto le echó un vistazo.

—¡Es el hambre! —se justificó su hermano—. ¡Si hubiera desayunado como Dios manda, no me habría confundido!

Rebecca se echó a reír.

—Nos irá bien descansar y recuperar fuerzas.

Cogió las bolsas de la mochila y las repartió entre sus hermanos. ¡Pobrecitos! A medida que sacaban la

comida, la expresión de sus caras se volvía más in-
crédula: el jamón de los bocadillos tenía unas extra-
ñas vetas color violeta, el zumo de frutas estaba caliente y el pastel de manzana «un poquito quemado»
¡parecía carbón! Lo único comestible era el pan de
los bocadillos y una manzana tan arrugada como
una viejecita de noventa años.

Ante la perspectiva de quedarse casi en ayunas
otra vez, Leo tuvo una crisis nerviosa: aulló, gruñó,
rió como un lunático y, al final, estalló en sollozos
desesperados.

Cuando estaba a punto de ir a consolarle, algo frío y peludo se me pegó a la nuca y empezó a husmearme ruidosamente. ¡Miedo remiedo! ¡¿Qué era eso?! Me quedé inmóvil. El aliento que notaba en mi piel era cada vez más fuerte. Por suerte, Rebecca evitó que me diera un infarto.

—¡Un cachorrito! —exclamó.

Entonces me volví: un perrito blanco con manchas negras, delgado y sin collar me olisqueaba y meneaba la cola.

—¡Ho-hola, a-amigo! —le saludé.

¡El animalito me contestó con un lametazo en la cara!

Rebecca le lanzó un pedacito de jamón y él se lo tragó con avidez.

—¡Está muerto de hambre! —dijo ella regalándole el bocadillo.

El perrito agitó la cola agradecido, y en cuanto Leo, ya de mejor humor, cogió un palo del suelo y se lo lanzó, corrió a buscarlo y lo trajo de vuelta, como si conociera el juego a la perfección.

—¡Chicos! ¿Habéis visto qué rápido corre?

—¡Es una flecha! ¿Por qué no lo llamamos así? —propuso Rebecca.

—¡Me gusta! —asintió Martin—. ¡Ven aquí, Flecha! ¡Siéntate!

—Pero si le ponéis nombre —observé, vacilante— es porque os lo queréis quedar...

—¡Bat, no me digas que estás celoso! —replicó mi amita.

—¿Yo? ¡Pues claro que no! Pero ¿cómo se lo tomará tía Gergovia?

—Tiene un jardín muy grande, no le molestará... —insistió Rebecca acariciando al animalito.

¡Puede que en realidad sí estuviera un poco celoso!

Nos pasamos la tarde haciendo correr a Flecha y atiborrándolo con las «exquisiteces» de tía Gergovia. ¡Al menos podríamos decirle con sinceridad que alguien había disfrutado con sus manjares!

6

UNA SONRISA
HORRIPILANTE

uando nos pusimos en marcha, la tarde estaba cayendo y el sol se divertía coloreando los prados y las colinas con largas pinceladas anaranjadas (no está mal, ¿eh?). Al cruzar una espesa galería de majestuosos árboles, me taladró a traición el mismo silbido de la noche anterior. Intenté incorporarme, pero parecía un boxeador loco.

—¿Lo oís? —grité a mis amigos con los ojos fuera de las órbitas.

—¿El qué, Bat? —preguntó Rebecca, sorprendida.

—¡Ese silbido tan horrible!

—¿Silbido? ¿Seguro que no es el chirrido de los pedales?

Por suerte en ese momento Flecha también se puso a ladrar como un loco.

—Paremos un segundo... —propuso Martin, para alegría de Leo.

Durante unos instantes hubo silencio, después los chicos empezaron a oír algo. Miramos a nuestro alrededor para saber de dónde venía. Flecha no paraba de gemir y revolverse muy nervioso.

—¿De dónde viene, Bat? —preguntó Martin.

Cuando iba a contestarle, las palabras se me atragantaron: los cristales de sus gafas estaban totalmente empañados, ¡señal inconfundible de que se avecinaban problemas de los gordos!

Tragué saliva y alcé el vuelo; me protegí los ojos como pude de los cegadores reflejos del sol... pero ¡a contraluz no veía ni un cuerno! De repente me pareció ver un resplandor más claro tras el tronco de un árbol.

—Eh, ahí al fondo hay algo... —susurré, inquieto, a mis amigos.

—Ve tú primero, Bat —dijo Leo—. Nosotros te cubrimos la espalda...

¡Menudo cobardica! ¿Por qué era siempre yo el que tenía que arriesgar las alitas?

Me separé de mis amigos y avancé vacilante, pero no vi nada raro. «¡Habrá sido el sol!», pensé, aliviado. Cuando iba a volver, me di cuenta de que Flecha me había seguido. Tenía el pelo del lomo erizado y estaba ladrándole a un árbol. Como comprenderéis, yo no podía ser más cobarde que un perro, así que

pasé volando junto a él y, fingiendo un valor del que carecía, me acerqué al tronco. ¡Menudo error!

Otro silbido, mucho más penetrante que los anteriores, ¡me atravesó la cabeza de oreja a oreja! Tuve que utilizar todas mis dotes acrobáticas para no caer en picado (¡uno de los mayores ridículos que puede hacer un murciélago!). Los ladridos de Flecha eran cada vez más fuertes y rabiosos. Me di la vuelta para identificar la masa blanquecina que estaba asomando de detrás del árbol pero, cuanto más me esforzaba por enfocarla, ¡más silbaba aquella «cosa»! ¡Y lo hacía con mucha fuerza!

En vista de que Flecha no retrocedía ni un paso, yo tampoco di marcha atrás, al contrario de lo que me recomendaban el sentido común y el remiedo. Y después lo vi: alto, blanquísimo, con las costillas desnudas, los fémures, los húmeros, las vértebras y, sobre ellas, una magnífica, sonriente y horripilante... ¡CALAVERA CON LAS CUENCAS NEGRAS Y VACÍAS!

7

BANDERITAS
MACABRAS

N ESQUE-ESQUE-ESQUELE-
TOOO! —balbucí presa de un remiedo bárbaro al tiempo que intentaba remar hacia atrás con las alas.

Flecha empezó a ladrar otra vez
mientras el terrorífico montón de huesos alargaba
hacia él sus blancas falanges, afiladas como garras.
En una de las costillas, atado con un cordel, tenía un
cartelito amarillo que se agitaba como una macabra
banderita.

—¡Corre, Flecha! ¡Corre! —grité al cachorro an-

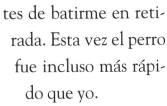

tes de batirme en retirada. Esta vez el perro fue incluso más rápido que yo.

Al ver el gigante blanco, los hermanos Silver también salieron disparados en un tiempo récord.

¡Deberíais haber visto a Leo! Corría y gritaba, y, cuanto más gritaba, más corría.

Volamos hasta las bicicletas sin mirar atrás. ¡Flecha y yo nos metimos en la misma cesta y mis amigos saltaron sobre los sillines y se alejaron pedaleando como locos! Cuando decidieron que estaban a suficiente distancia, se detuvieron a recuperar el aliento. ¡Parecían buzos sin oxígeno! Rebecca se había dado un buen golpe en el tobillo y cojeaba.

—¿Qué era eso? —preguntó Leo resoplando como una foca.

—A primera vista, yo diría que... ¡un esqueleto humano! —sentenció Martin muy serio.

—¡No me digas! ¡Y yo que creía que era un acróbata de circo! —replicó su hermano sacudiendo la cabeza.

—La pregunta no es «qué era» —intervino Rebecca masajeándose el tobillo dolorido—, sino qué hace aquí esa colección de huesos...

—Y por qué le divierte pegar esos silbidos... —añadí yo—. No es la primera vez que oigo ese sonido tan horrendo, ¿sabéis?

—Te creemos, Bat. Ahora también lo hemos oído nosotros —me tranquilizó nuestro cerebrín entrecerrando los ojos.

—¡Martin! —exclamó Rebecca mirándolo fijamente—. ¿Adónde han ido a parar tus gafas?

—¡Vaya, hombre! —contestó él tocándose la nariz—. Se me deben de haber caído mientras huíamos. ¡Ahora sí que estoy apañado!

Nos miramos preocupados. Sabíamos perfectamente que Martin sin sus gafas estaba más perdido que un pulpo en un garaje (esta es buena, ¿eh?). Todos estábamos haciéndonos la misma pregunta, pero solo Leo tuvo el valor de decirla en voz alta:

—Bueno, ¿quién va a buscarlas?

Leo estaba sin aliento (¡y muerto de remiedo!), Martin no veía a un palmo de sus narices, y Rebecca tenía una pierna magullada. Quedábamos Flecha y yo, ¡pero él no tenía ni alas ni dedos!

—¡Iré yo! —se me escapó—. Vosotros volved con tía Gergovia. La pobre debe de estar muy preocupada. ¡Deseadme suerte!

Volé a una altura segura. El sol casi se había puesto y no era fácil orientarse, pero la suerte me acompañó. Cuando llegué al extraño bosquecillo un par de minutos más tarde, me llamó la atención un centelleo entre las hojas. Planeé conteniendo el aliento y vigilando con mil ojos (¡es un decir!). Vi unas huellas muy «ligeras» en el suelo: el esqueleto había pasado por allí, pero por suerte no había rastro de su bonita cara.

En cuanto al centelleo, tenía razón: las gafas de Martin habían acabado en un matorral. Me lancé en picado y agarré una de las patillas, pero mientras

remontaba el vuelo me di cuenta de que había algo amarillo cerca. Vi que era la banderita del esqueleto, en realidad, una especie de cartelito, y también lo recogí.

Poco después de ganar altura llegó a mis oídos el eco de aquel silbido asesino... Pero para entonces ya estaba lejos.

8

MALDITOS NÚMEROS

l llegar a casa me recibieron con vítores. Sobre todo Martin, ¡que por fin volvía a ver! Incluso Flecha, al que tía Gergovia había acogido con entusiasmo, ¡me dio un ruidoso lametazo en el morro! Me habría gustado contarles enseguida lo del cartelito, pero la cena ya estaba servida. Y esta vez era perfecta porque tía Gergovia tenía pendiente una reunión importante ¡y había tenido que comprar comida preparada!

—Espero que no os moleste... —se disculpó.

—¿Molestarnos? —saltó Leo—. Pero si estamos encan... ejem... Nos arreglaremos, ¡tranquila!

Después del helado (también nos dieron un poco a mí y a Flecha, ¡que lamió el tazón hasta dejarlo reluciente!), tía Gergovia se despidió y salió zumbando por la puerta.

—Y ahora, ¿qué hacemos? —preguntó Leo.

—Podríamos hacer un poco de arqueología... —propuso Martin.

—¡No, gracias! —replicó su hermano—. ¡Ya he visto bastantes huesecitos por hoy!

—Me refería a que podríamos echar un vistazo a esto... —Martin señaló el gran plano de la excavación que habíamos visto la noche anterior.

—También hay fotos... —observó Rebecca acercándose a la mesa.

Eran fotografías de los objetos tomadas en el lugar donde los habían encontrado.

—¿Ese no es el hueso que nos enseñó ayer tía Gergovia? —dijo Leo señalando una foto.

—¡Sí! —asintió Martin, y leyó el cartelito—. El número 011-636-001.

—A lo mejor es el móvil del cavernícola que lo talló —dijo Leo, burlón.

—¡Es el número de catálogo, gracioso! —replicó Martin—. A cada hallazgo le asignan un número y un color, y después apuntan las dos cosas en el mapa, en un pequeño recuadro, justo donde han encontrado el objeto. Las primeras tres cifras, si no me equivoco, indican el lugar. Tumba 001, tumba 002... Este hueso viene claramente de la tumba 011 de la zona amarilla. ¡Es fácil!

Al oír la palabra «amarilla» mi cerebrito se iluminó.

—¡Un momento, amigos! Tengo que enseñaros algo... —Salí disparado hacia la bat-casa, que resul-

tó ser una caja fuerte perfecta para la ocasión, y cogí el cartelito que había encontrado junto a las gafas de Martin. Lo dejé en la mesa. Mientras explicaba de dónde lo había cogido, me di cuenta de que también tenía un número que no había visto en la oscuridad del atardecer: 011-363-000.

—¿Más números? —resopló Leo—. ¡Qué laaata!

Martin le hizo callar.

—¡Mirad! Si eliminamos la última cifra, ¡es casi idéntico al de este hueso!

—¡Es verdad! —dijo Rebecca—. Eso significa que los dos vienen de la tumba 011. ¿Correcto?

—¡Exacto! —asintió Martin.

—¡Esto no me gusta nada! —protestó Leo—. Cuando empezamos a hablar de tumbas, nunca sabemos dónde acabaremos...

—¿Dónde has dicho que lo has encontrado, Bat? —preguntó Martin.

—Cerca de tus gafas, colgado en un matorral...

—Vaya, qué raro... —murmuró Martin—. ¿Cómo ha ido a parar tan lejos de la excavación? ¿Ha salido volando? ¿O es que alguien ha robado algún hallazgo de esa tumba?

—A mí se me ocurre algo —intervine, vacilante—, pero no sé si os va a gustar...

—Adelante, Bat, dispara —me animó Leo—. Después de lo que he visto hoy, ya no le tengo miedo a nada...

—¿Os acordáis del esqueleto?

—¡Se acabó, Bat! —me interrumpió entonces—. ¡Te ordeno que te calles!

—La primera vez que vi ese cartelito ¡colgaba de una de sus costillas!

9

UNA TUMBA NOS ESTÁ ESPERANDO

la mañana siguiente, Martin y Rebecca se despertaron con un montón de ideas de bombero en la cabeza.

Yo, en cambio, no estaba nada despierto. Y no solo porque el reloj interno de los murciélagos va al revés que el vuestro. En plena noche, cuando por fin me había atiborrado de mosquitos con sabor a arándano y había encontrado un buen rinconcito para escribir, Flecha había salido de su nueva caseta y había empezado a ladrar como si quisiera despertar a todo el pueblo. Justo cuando iba a lanzarme sobre él para hacerlo callar, aquel maldito silbido empezó a taladrarme los oídos. Aunque ahora ya sabía de dónde venía: ¡el esqueleto estaba merodeando por la casa! ¡Miedo, remiedo! Por suerte, poco después oí la voz de tía Gergovia que decía: «¡Entra, perrito, o esta noche nadie pegará ojo!».

Flecha dejó de ladrar, pero el pitido siguió, ahora más cerca, ahora más lejos, casi hasta el amanecer. Cuando dejó de sonar, ¡tenía el cerebro hecho papilla!

—¡Menudas ojeras tienes, Bat! —exclamó Rebecca en cuanto me vio—. ¡No deberías acostarte tan tarde!

—Además, esta mañana tienes que acompañarnos a las excavaciones —añadió Martin frotándose las manos—. ¡Nos espera una tumba!

—¡Genial! —siseó Leo, fastidiado—. ¡Prefiero la

comida de tía Gergovia!

De hecho, el desayuno no habría sido tan horrible si, además de la leche y los cereales, tía Gergovia no nos hubiera endosado un brebaje energético a base de caldo de gallina, mostaza y canela al que llamaba «zumo de momia» y que realmente apestaba a muerto...

—¡Esto os cargará las pilas! —dijo tía Gergovia después de tragarse un vaso enorme lleno hasta arriba de ese mejunje asqueroso. Bueno, ¿qué vais a hacer esta mañana?

—Nos gustaría echar otro vistazo al campamento —contestó Martin—. ¡Es fascinante!

—Estoy de acuerdo —asintió su tía—. ¡Pues al coche!

Medio inconsciente, me subí con Flecha y los de-

más a aquella furgoneta de los hocicos (vosotros decís «de las narices», ¿verdad?) y me dejé traquetear hasta el campamento. Tía Gergovia quería hacernos de guía, pero en cuanto bajamos del coche sus ayudantes saltaron sobre ella y desapareció del mapa en un segundo.

—No hay mal que por bien no venga —dijo Mar-

tin, y sonrió—. Así podremos recorrer el yacimiento por donde nos apetezca.

Martin encontró la zona amarilla a pesar de no llevar un mapa. Una vez allí, vimos una hilera de fosas, todas con un numerito. Justo en la 011, vaya casualidad, había tres chicas trabajando con cubos, espátulas y pinceles.

—¡Bienvenidos, chicos! —nos saludaron—. Vosotros debéis de ser los sobrinos de la doctora Pinter, ¿no? ¿Os lo pasáis bien?

—¡De muerte! —les contestó Leo, sarcástico—. ¿Y vosotras?

—¡Sí, también! De hecho, estamos sentadas en una... ¡tumba! —bromeó la arqueóloga.

—¡Qué divertido! ¿Y por dónde anda el fiambre?

—Ya lo hemos sacado. Un montoncito de huesos muy bien conservados, a decir verdad.

—¿Y ahora dónde está?

—En el depósito, en una caja de madera. Mañana o pasado mañana lo trasladarán.

—Al laboratorio *tropológico*, ¿no? —dijo Leo, orgulloso.

—Antropológico —le corrigió la estudiosa—. ¡Ya veo que vuestra tía os ha enseñado a conciencia! ¿Habéis pensado que de mayores podríais ser arqueólogos?

—Ellos a lo mejor, pero yo seguro que no... —le cortó Leo—. ¡Saludad de mi parte al esqueleto cuando volváis a verle!

Y menudos saludos le esperaban...

10

UN GÉLIDO SUSPIRO

olvimos dando un rodeo y nos encontramos por segunda vez frente a la famosa cueva con las pinturas rupestres, esa en la que estaba prohibidísimo entrar. Una auténtica tentación para los hermanos Silver...

—¿Qué habrá en esta cueva que sea tan peligroso? —preguntó Rebecca.

—Hemos entrado en sitios mucho peores... —observó Martin.

—¿Y si echamos una miradita rápida?

—¡Ni hablar! —los interrumpió Leo—. Si no se puede entrar, ¡será por un buen motivo!

Martin lo miró sonriendo.

—Pues sería el momento perfecto para probar tu I.F.O., ¿no?

Su hermano no replicó. Cada uno de nosotros tiene un punto débil, y el de Leo, como Martin bien sabía, era probar sus inventos en situaciones extremas.

Así que un minuto después, a pesar de los tablones y el cartel de peligro, ya habíamos entrado en la cueva. Caminamos a tientas en la penumbra y cuando ya no se veía nada de nada Leo encendió su I.F.O. (Iluminación Frontal Orientable) que, básicamente, era un casco de minero con un montón de lucecitas delante. ¡Parecía un moscardón con faros antiniebla! Apuntó la luz hacia el suelo.

—¡Eh, mirad! —exclamó—. ¡Alguien ha estado aquí!

—Son huellas —dijo Martin—. Huellas fósiles...

—¿Habéis visto? —añadió Rebecca agachándose—. ¡Hay una grande y una pequeña!

—Un hombre y un animal... —dedujo Martin—. A primera vista, diría que un perro...

—Y lo de ahí arriba, ¿qué es? —preguntó Leo dirigiendo la luz hacia la pared de enfrente.

—Parecen los mismos dibujos que había en aquel hueso —comentó Rebecca—. Hombres y perros de caza...

—Ese perro tiene la presa en la boca, y su amo lo está acariciando. ¿No es conmovedor? —dijo Martin.

¡Por todos los mosquitos! ¡Ya lo creo que sí! Oí un profundo suspiro a mis espaldas y pensé: «¡Incluso Leo se ha conmovido!». Pero entonces me di cuenta de que Leo estaba delante de mí, al igual que

Rebecca y Martin. Flecha estaba acurrucado a nuestros pies y seguro que no acostumbraba a lanzar suspiros. Pero, entonces, ¿de quién era ese gélido soplo de aire que había notado en el cogote?

Me volví con mucho cuidado y, por segunda vez, clavé mis ojitos murcielaguescos en dos cuencas vacías y oscuras: ¡EL ESQUELETO ESTABA DETRÁS DE NOSOTROS!

¡El chillido de terror que lancé retumbó siniestro por toda la cueva!

11

SEÑOR HUESOS

ía Ernestina siempre decía: «¡Si el peligro es mortal, salir pitando no va nada mal!». Resumiendo: ¡corrimos como locos, Flecha incluido! El problema es que lo hicimos en la dirección equivocada: en vez de volver a la entrada, nos adentramos aún más en la cueva. Fue un error, lo sé, ¡pero mantener la cabeza clara cuando te persigue un esqueleto no es nada fácil!

¡Oíamos el siniestro clac-clac de sus huesos y unos

gritos agudos intercalados con silbidos rompetímpanos!

—¡Eh! ¡Ahí al fondo se ve luz! —jadeó Leo, que ya estaba sin aliento—. A lo mejor...

Al salir al exterior nos encontramos en medio de un espeso bosque en el que era fácil esconderse. ¡Lo que no esperábamos era que el esqueleto fuera por Flecha! Pasó de nosotros y empezó a perseguirlo, silbando y lanzándole palos y ramas.

—¡Tenemos que ayudarle! —exclamó Rebecca, que no soportaba que maltrataran a los animales—. ¡Yo cogeré al perro! ¡Bat, tú intenta detener a ese monstruo!

A pesar de que el remiedo me congelaba las alitas, cambié de rumbo y, cantando a pleno pulmón el himno de la patrulla acrobática, me coloqué en posición de «loncha» ¡y pasé entre sus costillas! Fue un espectáculo, que conste, pero el esqueleto ni se dignó mirarme (¡tal vez la vista no era su fuerte!).

¡Tenía que arriesgar el todo por el todo!

Zumbé a su alrededor como un mosquito y, mientras él intentaba espachurrarme, esperé el momento oportuno y me colé en sus cuencas vacías.

Qué asco, ¿no? Procuré no pensar dónde me había metido y empecé a dar patadas contra las paredes. El esqueleto se tambaleó un poquito, pero no se detuvo.

—¡Sal de ahí, Bat! ¡Ya tengo a Flecha! —gritó Rebecca.

Salí de la calavera y volé hacia ella. Pero el esqueleto, furioso, cogió una rama del suelo, la lanzó contra nosotros y le dio a Leo en la espalda.

—¡Auuu! —rugió él, enfadado. Y, por primera vez en su vida, reaccionó como un valiente—. Eh, señor Huesos, ¿cómo te atreves? —Recogió la rama y se la tiró.

En ese momento ocurrió algo inesperado: Flecha ladró, se escapó de los brazos de Rebecca y corrió tras la rama creyendo que Leo quería jugar.

—¡¡¡NOOO!!! —gritamos todos a la vez.

El esqueleto cogió la rama y miró con aire maligno al perro, que meneaba la cola a sus pies. Cuando levantó el brazo, todos pensamos que iba a pegar al perrito, pero en vez de eso... ¡volvió a lanzar la rama! Flecha, que no esperaba otra cosa, salió corriendo y la cogió al vuelo. En ese momento el silbido que llevaba días persiguiéndome resonó por enésima vez, alto y agudo. El perro lo oyó, fue trotando hacia el «dueño» con la rama en la boca y la dejó frente a sus delgadísimos pies. Después se inclinó sobre las patas delanteras, preparado para salir corriendo otra vez. El esqueleto lo acarició y se vio recompensado con un gran lametazo.

El juego habría continuado si un ruido en la lejanía no hubiera alarmado al señor Huesos. El esqueleto se quedó inmóvil, volvió el cráneo a derecha e izquierda y, después de vacilar un momento, desapareció en el bosque.

12

¿ALGUIEN HA PERDIDO
UN ESQUELETO?

legamos a casa antes de que lo hiciera tía Gergovia. Aunque seguíamos alucinados por la aventura, empezamos a preparar la cena para evitar lo peor. Pero no podíamos dejar de pensar en la loca escena que acabábamos de presenciar.

—¿Los habéis visto? —insistía Leo dando manotazos a la masa de la pizza—. ¡Jugaban juntos! ¡Un esqueleto y un perro de carne y hueso!

—Martin, ¿estás seguro de que era el esqueleto de

la tumba 011? —preguntó Rebecca mientras cortaba el queso.

—¿Y quién podía ser si no? —replicó su hermano abriendo una lata de tomates sin piel—. Era el que llevaba el cartelito amarillo...

—Hay una cosa que no me cuadra —dijo Rebecca—. ¿Por qué ese «tipo» parecía tan furioso con nosotros y después, cuando ha tenido a Flecha a tiro, no le ha hecho nada o, mejor dicho, se ha puesto a acariciarlo?

—¡La próxima vez que lo veas, se lo preguntas! —sugirió Leo con la cara llena de harina.

Cuando tía Gergovia llegó a casa, la fantástica empresa Silver acababa de sacar del horno cuatro sabrosas pizzas caseras.

—Pero ¡qué maravilla! —gorjeó—. ¿Las habéis hecho vosotros?

—¡Con nuestras propias manitas! —asintió Leo.

—¡Ay, qué vergüenza me da, queridos sobrinitos!

Debería ser yo la que os mimara a vosotros... pero ha habido un problema imprevisto en el depósito y me he retrasado.

Sentados a la mesa, tía Gergovia nos lo contó todo entre los gruñidos de Leo y los bostezos de Flecha, que también mordisqueaba un trozo de pizza.

—Al preparar la lista de los hallazgos que teníamos que trasladar mañana, he visto que una de las cajas grandes estaba destapada... ¡y vacía!

—¿Y qué se supone que tenía que haber dentro? —preguntó Leo—. ¿Quizá una mortadela prehistórica? —bromeó.

—¡Un esqueleto entero y en buen estado!

Al oír aquello, todos dimos un respingo (yo en las rodillas de Rebecca, donde estaba mordisqueando mi trocito de pizza) y nos miramos inquietos y en silencio.

—Está claro que lo han robado, ¡no hay otra explicación! Pero ¿quién ha podido hacerlo? ¡Por suer-

te el esqueleto del perro está sano y salvo en el museo de Ditchville!

—¿Perro? —intervino Rebecca—. ¿Qué perro?

—La tumba 011 era muy especial: el cazador estaba enterrado con sus armas ¡y con un perro acurrucado a sus pies! ¿No es maravilloso?

—Pues sí... —balbució Rebecca mientras no-

sotros mirábamos boquiabiertos a tía Gergovia—.
¿Y qué harán con el perro?

—Mañana mismo lo enviarán al laboratorio arqueológico de Londres, junto a un centenar de hallazgos más.

13

¡EL CAZADOR SILBA!

 na vez en el dormitorio, a los hermanos Silver no les costó nada sumar dos más dos (yo también sé hacerlo, ¿qué os creéis?), es decir: encontrar una explicación a los misteriosos acontecimientos de aquellos días.

—¡Era un cazador! ¡Era el esqueleto de un cazador! —exclamó Rebecca.

—Lo que explica el hueso grabado, que rondara por la cueva y su interés por el perro... —añadió Martin—. Bat, ¿cuándo empezaste a oír el silbido?

—¡La primera noche, desgraciadamente!

—Y nosotros nos topamos con el esqueleto cuando hicimos la excursión en bicicleta —siguió Martin.

—Exacto —asintió Rebecca—. ¡Cuando encontramos a Flecha! ¿Adónde quieres llegar?

—A la razón por la que el propietario de un perro silba...

—Para llamarle, ¡evidentemente! —dijo Leo.

—Y eso es exactamente lo que hacía el esqueleto con Flecha —observó Martin—. Seguramente le recordaba a su perro de caza, por eso se puso a jugar con él. ¿Lo entendéis? ¡El cazador está buscando a su perro! ¡El que enterraron con él y que ahora está embalado en una caja en el museo de Ditchville, lejos de su amo!

—¡Muy bien! Caso resuelto —concluyó Leo—. Me voy a la cama.

—Pues yo me voy al museo. ¿Quién me acompaña? —preguntó Martin.

—Al museo, ¿a qué? —gruñó Leo.

—A buscar el esqueleto del perro prehistórico. Si lo llevamos a la tumba, puede que su amo se quede tranquilo.

—¡Bat y yo nos apuntamos! —se ofreció inmediatamente Rebecca sin consultarme—. Y llevaremos a Flecha.

—¡Perfecto! Leo, ya que no vienes, ¿me prestas tu L.U.A.?

—¡Ni hablar! Además, se necesita al inventor para que funcione...

Salimos a escondidas de casa Pinter y fuimos caminando al pueblo. El museo estaba en el centro.

—Te toca, Leo... —susurró Martin señalando la puerta de entrada.

—¡Apartaos! —susurró Leo—. Puede ser peligroso... —Solo lo dijo para darse importancia, porque la L.U.A. (Llave Universal Antialarma) funcionó de maravilla: hizo saltar la cerradura de la puerta y al mismo tiempo, a saber cómo, desactivó la alarma antirrobo—. *Voilà!* —exclamó abriendo la puerta—. Adelante, por favor...

Flecha aceptó la invitación, entró el primero y empezó a husmearlo todo.

—¿Dónde dejaríais una caja pendiente de envío? —preguntó Martin una vez dentro.

—¡En el sótano! —contestó Rebecca.

Solo tuvimos que bajar una escalera y hacer saltar un candado para llegar al sótano. Cuando Rebecca encendió la luz, nos quedamos todos de piedra: estaba repleto de montañas de cajas con los hallazgos de la excavación. En el exterior solo había etiquetas con siglas y números. ¡Por todos los mosquitos! ¡Encontrar los huesos del perro nos iba a llevar toda la noche!

—Podríamos silbar —bromeó Leo—. ¡A lo mejor Fido nos contesta!

De repente oímos un silbido digno de un cazador.

—¡Para, Leo! —le regañó Martin—. ¿Es que quieres que nos descubran?

—Pero si no he sido yo… —farfulló él.

Todos pensamos lo mismo: ¡el esqueleto había vuelto! Tal vez nos había seguido.

—¡Que no cunda el pánico! —nos apremió Martin—. Aquí estamos a salvo. Y si Bat fuera a echar una ojeada, mejor aún...

«¿Mejor para quién?», estuve a punto de preguntar. Pero me contuve. Volé entre las montañas de cajas mirando a mi alrededor con cautela. De la entrada llegó el inconfundible ruido de unos metacarpos repicando contra el suelo. Después resonó otro silbido, mucho más agudo que el primero, que solo oí yo.

—¡Está aquí! —chillé tapándome las orejas y dando marcha atrás. Fue un error, porque el esqueleto me oyó y avanzó a grandes pasos. Intentamos llegar a la puerta pero nos desorientamos y, de repente, después de recorrer el enésimo pasillo de aquel laberinto, ¡nos dimos de narices con él!

Dos cuencas vacías nos miraron fijamente durante un segundo y después el señor Huesos empezó a perseguirnos gruñendo y rechinando.

—¡Sálvese quien pueda! —gritó Leo al tiempo que salía disparado.

Los demás le seguimos, lo que fue otro error: la carrera acabó en un estrecho pasillo sin salida.

—¡Salgamos de aquí! —ordenó Martin.

Demasiado tarde. El armazón prehistórico avanzaba hacia nosotros mirándonos con aire malvado. ¡Estábamos atrapados!

—¡Ahora se nos zampa! —gimió Leo.

En ese momento, una caja pequeña que teníamos a nuestra espalda empezó a moverse y tambalearse; se oyeron unos golpecitos suaves en el interior, como si alguien quisiera salir. De repente, una esquina de la tapa se levantó y el esqueleto se detuvo incrédulo. Nos volvimos a mirar y nos quedamos helados.

—Tenemos que abrir esa caja, ¡rápido! —exclamó Rebecca.

¡Era más fácil decirlo que hacerlo! Si hubiéramos tenido tiempo de buscar un destornillador y unas tenazas, a lo mejor lo habríamos conseguido. Había que actuar con rapidez. ¡Mucha rapidez!

Entonces recordé el número que había aprendido en el curso de autodefensa acrobática de mi primo Ala Suelta: el Pico del Cóndor. Lo puse en práctica en cuanto el esqueleto siguió avanzando: salto vertical, doble pirueta aérea, zambullida con los puños unidos contra una esquina de la tapa y... ¡salió volando! ¡Lo había conseguido! Por desgracia, la tapa de madera golpeó al esqueleto en la nuca y el tipo se puso hecho una furia. Pero cuando se calmó, masajeándose las últimas vertebras, y echó un vistazo al interior de la caja, toda su furia se desvaneció: el morrito de un esqueleto blanco lo estaba mirando. El señor Huesos se arrodilló, emitió un dulce chirrido y el perrito salió de la caja y saltó a sus brazos meneando la cola.

Nos quedamos inmóviles contemplando aquel encuentro conmovedor.

El esqueleto estrechó el animalito contra su pecho. Después se puso en pie y lo dejó en el suelo. Antes de irse, volvió a mirarnos fijamente, con insistencia, ¡y soltó una carcajada que hizo temblar su mandíbula inferior! (¡la verdad es que sentí un ligero escalofrío!). Al final lanzó un silbido a su viejo compañero de caza y salieron juntos por la puerta.

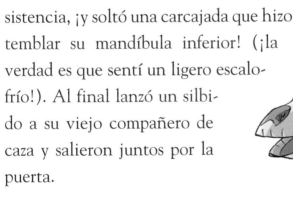

14

BIEN ESTÁ LO QUE BIEN DESAPARECE

l día siguiente el vigilante del museo vio la caja vacía y llamó a la policía.

Tía Gergovia fue allí en cuanto la informaron de lo que había sucedido. Al enterarse de lo que habían robado, se quedó muy afligida.

—¡No puede ser! —murmuró—. Primero el cazador y ahora el perro…

La policía no había encontrado señales de que hubieran forzado la cerradura, y tampoco lograba explicarse por qué la alarma no había sonado. La caja la habían abierto unos profesionales (¡desde luego, *baby*!) y el contenido había desaparecido.

—¿Y ahora? —preguntó Rebecca cuando tía Gergovia acabó su relato.

—Periódicos, radio, televisión e internet hablarán del robo de los esqueletos. Si los ladrones intentan venderlos, no encontrarán ningún comprador. A menos que...

—¿A menos que qué? —preguntó Martin con curiosidad.

—A menos que no se trate de un robo sino de una... ¡fuga! —acabó su tía pensativa.

—¿Una fuga? —repitió Rebecca inquieta.

—¡Sí! ¿No sería conmovedor pensar que perro y cazador se han escapado juntos porque no soportaban estar separados en museos diferentes?

Hubo un silencio glacial.

—Afortunadamente, los esqueletos no caminan, si no ¡imaginaos qué miedo! —bromeó tía Gergovia mirándonos divertida.

«A nosotros nos lo vas a decir...», me habría gustado contestar. Pero me mordí la lengua.

Nos costó mucho separarnos de Flecha. Pero los señores Silver habían sido muy claros: no podíamos tener un perro en casa.

En otoño tía Gergovia nos invitó a la exposición sobre las excavaciones del pueblo neolítico de Ditchville, y al domingo siguiente ya estábamos allí con los señores Silver.

Lo más emocionante fue ver, en la sala principal del museo, una fantástica reproducción en resina del esqueleto del hombre y su perro.

Mientras leía en un panel cómo la habían hecho, oí un silbido agudísimo. «¡Por el sónar de mi abuelo! —pensé— ¿Será él?» Por suerte vi que quien había silbado era tía Gergovia. Al vernos de lejos, Flecha había salido disparado hacia nosotros y ella le estaba llamando. Nuestro amigo había engordado, tenía el pelo brillante ¡y no paraba quieto ni un segundo!

—¡Es muy juguetón! —dijo tía Gergovia—. ¿Y sabéis qué es lo que más le gusta hacer?

—¿Ir a buscar palos? —supuso Rebecca.

—No. ¡Excavar! ¡Tengo el jardín lleno de agujeros! —dijo su tía, y rió—. ¡Se convertirá en un gran arqueólogo! Aunque hay una cosa que no entiendo: ¡a veces se escapa y se pasa el día en el bosque que hay detrás de casa! Es como si fuera a ver a algún amigo...

Miramos al perro con curiosidad: si Flecha hubiera sabido hablar, podéis estar seguros de que se lo habría preguntado. Pero solo sabía ladrar y «lavarme» el morro, así que, desgraciadamente, no pudo decirnos si desaparecía en el bosque para ir a jugar con un perro prehistórico y su amo.

¿A vosotros qué os parece?

Un saludo «neolítico» de vuestro

Bat Pat

ÍNDICE

1. EL TESORO
DEL CEMENTERIO

2. BRUJAS A
MEDIANOCHE

3. LA ABUELA DE
TUTANKAMÓN

4. EL PIRATA
DIENTEDEORO

5. EL MONSTRUO
DE LAS CLOACAS

6. EL VAMPIRO
BAILARÍN

7. EL MAMUT
FRIOLERO

8. EL FANTASMA
DEL DOCTOR TUFO

9. LOS TROLLS
CABEZUDOS

10. UN HOMBRE LOBO
CHIFLADO

11. LOS ZOMBIS
ATLÉTICOS

12. LA ISLA DE
LAS SIRENAS

13. LOS MONSTRUOS
ACUÁTICOS

14. LA CASA
EMBRUJADA

15. NUNCA BROMEES
CON UN SAMURÁI

16. EL SUPERROBOT
HAMBRIENTO

17. EL ESCRITOR
FANTASMA

18. EL RETORNO
DEL ESQUELETO

19. EL ÚLTIMO ORCO

20. EL ABOMINABLE
PUERCO DE LAS NIEVES

21. EL ABRAZO DEL
TENTÁCULO

EN BUSCA DE LA CIUDAD PERDIDA

LA NARIZ DE LA ESFINGE

LAS ESCALOFRIANTES
AVENTURAS DE BAT PAT

EL PRISIONERO
DEL MONSTRUO

EL SECRETO DEL
ALQUIMISTA

EL MUSEO DE
LOS CONJUROS

REGRESO AL
JURÁSICO

1. CUATRO AMIGAS
PARA UN MISTERIO

2. EL GUARDIÁN
DEL FARO

3. ¡AMIGAS AL
RESCATE!

4. UN ROBO
DE CINE

5. LAS REINAS
DEL ROCK